Toisc gur breá le gach duine scéal maith...

Alanna Books

Do Polly, le grá, AMcQ
Do Philippa, le grá, RB

Tá na foilsitheoirí buíoch
d'Fhoras na Gaeilge
as a thacaíocht

Alanna Books Ire: 3 Clonneylogan Road, Kildalkey, Co Meath
Alanna Books UK: 46 Chalvey Road East, Slough, Berkshire, SL1 2LR
www.alannabooks.com

Arna chéadfhoilsiú faoi chlúdach crua sa bhliain 2006.

ISBN: 978-0-9551998-8-2

Arna chlóbhualadh agus arna cheangal sa tSín.

Is breá le Lúlú an Leabharlann

Áine Nic Cuinn

léirithe ag Rosalind Beardshaw

Is breá le Lúlú Dé Máirt.
Gach Máirt, téann Lúlú agus a mamaí
go dtí an leabharlann.

Osclaíonn an leabharlann ag a naoi
a chlog, ach bíonn Lúlú réidh
i bhfad roimhe sin!

Cuireann sí gach leabhar ón tseachtain
seo caite ina rucksack.

Tá a cárta leabharlainne
ANA-thábhachtach freisin.

Níl an leabharlann i bhfad
ó bhaile agus, mar sin,
siúlann Lúlú agus a mamaí ann.

Tugann Lúlú agus a mamaí na leabhair ón tseachtain seo caite ar ais.
Cuireann an leabharlannaí tríd an meaisín iad.

Tá ionad speisialta do pháistí amháin sa leabharlann.

Tá sé an-cool agus ní deireann aon duine "shhh!" riamh.

Uaireanta, bíonn siad ag canadh.

Tá na focail AGUS na geáitsí go léir do "Twinkle, Twinkle, Little Star" ag Lúlú.

Uaireanta, bíonn scéal acu.
Taitníonn sé sin go mór le Lúlú.

Tar éis na scéalta, tógann Lúlú a rogha leabhar. Sa leabharlann, bíonn cead aici aon leabhar is mian léi a thógáil.

Is breá le Lúlú scéalta faoi bhéir
agus aon scéal faoi bhróga.
Tá an méid sin leabhar ann go dtógann sé
tamall an-fhada a rogha a dhéanamh.

Tá leabhar ag Mamaí freisin.
Buzzálann an leabharlannaí tríd
an meaisín iad agus cuireann sí
an dáta isteach le stampa.

Caithfidh Lúlú iad a thabhairt ar ais
i gceann dhá sheachtain,
ach is dócha go mbeidh sí
ar ais arís i bhfad roimhe sin!

Tar éis na leabharlainne, téann Lúlú
agus a mamaí go dtí an caifé.
Is breá le Mamaí cappuccino
agus bíonn sú ag Lúlú.

Nuair a bhíonn Lúlú go maith,
ligeann a mamaí di an cúrán a bhlaiseadh.

Ansin, bíonn sé in am dul ar ais abhaile.

Gach oíche, nuair a bhíonn Lúlú socraithe sa leaba, léann a mamaí scéal di. Uaireanta, is maith léi scéal nua...

ach, uaireanta eile, is fearr léi seanscéal grámhar chun críoch a chur leis an lá.

Alanna Books is a small independent publisher.
We aim to produce books that celebrate children -
But, with so much pressure to conform,
life can be difficult for those who seem different
or who choose to be individual.
Alanna celebrates what makes each of us unique
while also believing that,
deep down, we are far more alike than we are different...
and that **everyone** loves a good story!

Alanna
www.alannabooks.com

paperbacks with multi-language CD / clúdaigh bhoga le dlúthdhiosca ilteanga

978-0-9551998-82

978-1-907825-01-9

978-0-9551998-20

boardbooks / clárleabhair

978-0-9551998-75

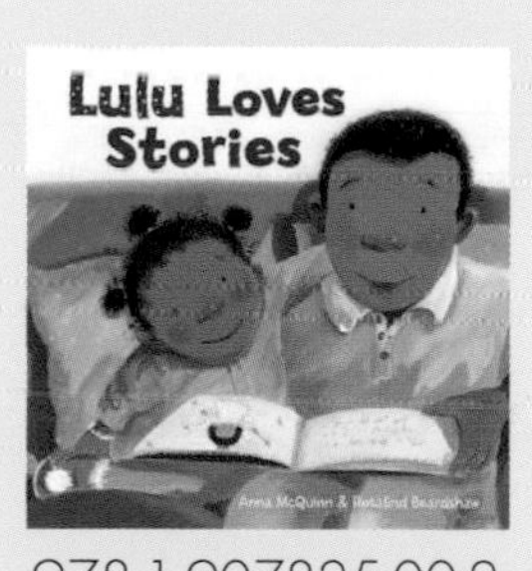

978-1-907825-00-2

paperbacks / clúdaigh bhoga

978-0-9551998-99

978-0-9551998-68

hardbacks / clúdaigh chrua

978-0-9551998-06

978-0-9551998-51

978-0-9551998-13

978-0-9551998-37

Oibríonn Áine Nic Cuinn go páirtaimseartha mar leabharlannaí pobail agus oibríonn sí le buíon ilghnéitheach leanaí agus tuismitheoirí. Labhraíonn roinnt mhaith de na leanaí teangacha eile sa bhaile agus rith sé le hÁine gurbh fhiú go mór na tuismitheoirí a thaifeadadh agus iad ag insint *Is Breá le Lúlú an Leabharlann* ina dteanga dhúchais.

- Má labhraíonn tú féin agus do leanbh Gaeilge, féadfaidh sibh éisteacht leis an scéal as Gaeilge. Bíonn sé fíorshuimiúil éisteacht le roinnt den scéal i dteangacha eile;
- Ma labhraíonn sibh ceann de na teangacha eile, féadfaidh sibh an lorg sin a sheinnt agus sibh ag féachaint ar na pictiúir le chéile;
- Más i leabharlann, i naíonra nó i ngrúpa súgartha a oibríonn tú, is acmhainn bhreá é an dlúthdhiosca seo le húsáid ag an bhfoireann nó le tabhairt ar iasacht do thuismitheoirí.

Tá súil ag Alanna Books go mbainfidh tú taitneamh as, is cuma cén teanga a labhraíonn tú!

Anna McQuinn works part time as a community librarian working with a diverse group of children and parents. Many of the children speak different languages at home so Anna had the idea of recording the parents telling *Lulu Loves the Library* in their first language.

- If you and your child speak Irish, you can listen to the story in Irish. It is also fascinating to listen to some of the story in other languages;
- If you speak one of the other languages, play that track as you and your child look at the pictures together;
- If you work in a library, nursery or playgroup, this CD is a great resource for staff use or for lending to parents. Alanna Books hopes you will enjoy it whatever language you speak!

Alanna Books is constantly making more recordings, so do check out the website to listen to even more.